"Pensando na motivação de uma perspectiva gerencial, é muito importante ter a seguinte visão: você pode não conseguir motivar as pessoas, mas pode influenciá-las a fazer as coisas com mais entusiasmo."

"Quando você trata o crescimento pessoal como um elemento de motivação, você muda a maneira como as pessoas encaram o próprio trabalho, ajuda-as a se tornarem mais competentes e lhes dá um objetivo cheio de significado para saírem para trabalhar todos os dias."

COMO MOTIVAR SUA EQUIPE

24 dicas para criar um ambiente de trabalho divertido e estimulante

Anne Bruce

2ª Edição

SEXTANTE

Título original: *How to Motivate Every Employee*

tradução: Eduardo Refkalefsky
preparo de originais: Débora Chaves
revisão: Sérgio Bellinello Soares e Tereza da Rocha
projeto gráfico e capa: Cristiano Menezes
diagramação: Marcia Raed
fotolitos: R R Donnelley
impressão e acabamento: Yangraf Gráfica e Editora Ltda.

CIP-BRASIL. CATALOGAÇÃO-NA-FONTE
SINDICATO NACIONAL DOS EDITORES DE LIVROS, RJ

B911c

Bruce, Anne, 1952-
Como motivar sua equipe / Anne Bruce; tradução de Eduardo Refkalefsk. – Rio de Janeiro: Sextante, 2006.
(Desenvolvimento profissional)

Tradução de: How to motivate every employee
ISBN 85-7542-226-X

1. Motivação no trabalho. 2. Desempenho. 3. Administração de pessoal. I. Título. II. Série.

06-1610 CDD 658.314
CDU 658.3.101.3

GMT Editores Ltda.
Rua Voluntários da Pátria, 45/1.404 – Botafogo
22270-000 – Rio de Janeiro – RJ
Tel.: (21) 2286-9944 – Fax: (21) 2286-9244
E-mail: atendimento@esextante.com.br

SUMÁRIO

COLOQUE MAIS ENTUSIASMO EM SUA VIDA

Como motivar sua equipe é um livro conciso, mas poderoso. Foi escrito para que executivos como você possam aplicar em suas carreiras as mesmas estratégias e ações de sucesso implantadas em empresas de primeira linha como Disney, SAS, Levi's, Starbucks e Hotéis Four Seasons, entre outras. Há ainda uma seqüência de técnicas e dicas criativas, além de histórias de sucesso comprovado que podem ajudar você e sua equipe a escapar do mundo da mediocridade e do baixo desempenho.

A verdade é que nenhum desses princípios e idéias inovadoras tem valor a não ser que você os aplique no dia-a-dia da empresa – e este livro mostra como colocá-los em prática imediatamente.

Acredito no poder e na influência dos executivos sobre o desempenho de cada colaborador. Com as técnicas relacionadas neste livro prático e de leitura rápida, você pode despertar o talento e a fibra em sua empresa e se tornar mais eficiente e bem-sucedido – um executivo realmente capaz de motivar sua equipe.

Meu desejo é que este livro se transforme em uma inestimável ferramenta de trabalho, assim como um guia de referência para ser consultado sempre. Isto certamente vai ajudar os executivos a criar um ambiente de trabalho acolhedor e vibrante para seus colaboradores – e com isso incentivá-los a dar o melhor de si. Espero que você também se apaixone pelos ensinamentos aqui contidos.

"Motivar é investir nas pessoas. Os desafios não estão no trabalho em si, mas em você, que é o responsável por criar e manter o ambiente de trabalho."

MOTIVAÇÃO NÃO É PROBLEMA SEU

MONTE UMA EQUIPE MOTIVADA

Quem gostaria de ser influenciado e inspirado por você? Esta é uma pergunta-chave. Se você não puder respondê-la, é porque não é da sua natureza gerenciar pessoas. Tenho repetido essa pergunta a centenas de executivos e líderes em conferências e treinamentos. Você ficaria surpreso de saber como ela é difícil de ser respondida. Freqüentemente, a resposta se resume em um silêncio atordoado da platéia.

A questão é essencial porque revela a importância e o impacto que os gerentes e supervisores exercem na equipe no que refere a um bom desempenho no trabalho. Eles estão sempre procurando maneiras de estimular os colaboradores e, assim, aumentar seu entusiasmo e comprometimento com a empresa e seus objetivos.

A realidade é que as pessoas só ficam motivadas a fazer o que é de seu interesse. Seu objetivo como gerente, portanto, é fazer com que encontrem pontos de identificação entre o seu próprio bem-estar e o da organização. Quando isso acontece, os colaboradores demonstram um entusiasmo natural para trabalhar com mais afinco porque isso representa a realização de alguma meta ou desejo pessoal.

Essa é apenas uma outra maneira de dizer que a motivação está dentro de cada um. E que é ela que nos impulsiona a buscar o que desejamos. Seja lá o que for que estejamos fazendo, será sempre porque acreditamos estar em busca de algum objetivo presente ou futuro.

Tente lembrar qual foi a última vez que você ficou entusiasmado com seu trabalho. Para a maioria das pessoas, esse arrebatamento está ligado a projetos nos quais elas acreditam poder fazer a diferença e, com isso, conquistar alguma coisa para elas e para os outros.

Como gerente, é sua função inspirar os colaboradores a fazer o melhor todos os dias, mas, atualmente, a motivação é uma responsabilidade de todos. Quando eles desenvolvem uma relação mais próxima com o que fazem, a recompensa é imediata – a motivação aumenta na mesma proporção do entusiasmo.

Veja as três táticas que podem ajudá-lo a construir uma empresa motivada:

Descubra por que seus colaboradores querem ser motivados por você: Ao responder a esta questão importante, você demonstra estar preparado para estimular sua equipe em relação ao trabalho e também para influenciar seu comportamento de modo a se tornar mais efetivo em relação às metas da empresa.

Reconheça que a verdadeira motivação está dentro de você: As pessoas discutem se a motivação é algo pessoal ou se ela varia de acordo com fatores externos. Na verdade, ela só depende de nós mesmos, apesar de as influências externas –

gratificações, bônus e aumentos de salário – serem altamente motivadoras.

Direcione os colaboradores para o que é mais importante e significativo: Os gerentes precisam inspirar sua equipe a dar o melhor de si, a assumir riscos, a pensar de forma empreendedora e a liberar o potencial sinérgico que possui.

> **"Homens e mulheres querem fazer um bom trabalho, um trabalho criativo. Se lhes proporcionarem um ambiente propício, conseguirão."**
>
> BILL HEWLETT, co-fundador da Hewlett-Packard (HP)

O QUE EU GANHO COM ISSO?

O QUE NÓS GANHAMOS COM ISSO?

Se você quiser realmente influenciar e entusiasmar as pessoas, precisa descobrir por que elas fazem as coisas e quais são seus motivos e intenções. Sim, porque ninguém fica motivado com as razões e os objetivos dos outros. "O que eu ganho com isso?", perguntam-se. Sabendo disso, é sua responsabilidade adequar as motivações de todos às atividades e aos objetivos da empresa. Só assim conseguirá afetar positivamente a performance de cada um.

Como você sabe se seu trabalho está sendo bem-sucedido? Quando os colaboradores começam a perguntar "O que nós ganhamos com isto?". Nesse momento, eles passam a perceber que ao se preocuparem com os colegas e com a empresa, eles estão, em última instância, se preocupando com eles mesmos. É claro que isso pode levar algum tempo para acontecer, mas se você persistir, essa percepção crescerá e a espera será recompensada.

Muitos gerentes tentam aumentar a motivação dos profissionais usando tanto as abordagens positivas quanto as negativas. O importante é entender claramente as três técnicas usadas para influenciar positivamente o estado de espírito das pessoas nos dias de hoje e, com isso, avaliar suas vantagens e desvantagens.

Ao estudar essas três técnicas básicas usadas pelos líderes para influenciar sua equipe, você vai ter uma grande oportunidade para liderar o processo e revelar o que verdadeiramente motiva as pessoas a darem o melhor de si mesmas.

Veja o que funciona quando se trata de inspirar positivamente os colaboradores:

Medo e manipulação não apresentam bons resultados: Quando o que motiva as pessoas é o medo e a manipulação, elas não se mostram tão interessadas em conseguir o que desejam porque estão lutando para não perder seus empregos. Essa abordagem normalmente deixa os colaboradores ressentidos com a chefia, além de prejudicar a comunicação e a cooperação. Usar o medo para melhorar o desempenho no trabalho não dá bons resultados, primeiro porque dura pouco e, segundo, porque o efeito acaba se voltando contra os gerentes e a própria organização.

A técnica do torrão de açúcar raramente funciona: Mais conhecida como "motivação por incentivos", essa técnica pode eventualmente piorar o desempenho dos colaboradores. A princípio, as pessoas até trabalham mais para receber a recompensa, mas... e depois? Você precisará apresentar sempre novos e melhores prêmios – torrões de açúcar maiores e mais doces, por exemplo – porque os colaboradores exigirão cada vez mais benefícios para manter a excelência em seu trabalho.

Desenvolva uma abordagem que promova o propósito e o crescimento pessoal: O que você precisa fazer é ajudar os profissionais a entenderem a importância de sua contribuição para a organização. Quando você enfatiza o crescimento e o desenvolvimento pessoal como forma de motivação, não está apenas ajudando sua equipe a maximizar sua contribuição – está também aumentando a produtividade da empresa. É uma vitória para todos.

"O que nosso gerente quer é alguém que nos inspire a ser o que nós sabemos que podemos ser."

RALPH WALDO EMERSON

NÃO SE PREOCUPE COM O QUE IMPULSIONA AS PESSOAS

SAIBA O QUE IMPULSIONA AS PESSOAS

Os gerentes precisam saber o que deixa seus colaboradores motivados. Você, por acaso, sabe?

Para que as pessoas atinjam altos níveis de desempenho, é preciso colocá-las em cargos que satisfaçam suas necessidades individuais – sem deixar de lado o que é importante para a empresa. Transformar o local de trabalho em um ambiente agradável e confortável promove uma sensação de bem-estar que afeta todos.

Satisfazer o lado humano é a chave do sucesso – afinal, as necessidades individuais não mudam pelo fato de as pessoas diariamente atravessarem a porta de frente da empresa para cumprir sua jornada de trabalho. Descubra o que as estimula e impulsiona a atingir seus objetivos, e também o que as desestimula. Encoraje-as a experimentar seus próprios métodos, desde que sejam compatíveis com a execução efetiva do trabalho.

O segundo passo é fazer uma pesquisa comportamental e pedir sugestões de melhorias. Use os resultados desse feedback para implementar mudanças que melhorem as condições de trabalho de todos, inclusive a sua. Você, é claro, não conseguirá satisfazer todo mundo. Por mais gratificante que seja, é difícil imaginar que o trabalho preencha todas as expectativas de uma pessoa.

O que é possível, e desejável, é a implementação de ações motivacionais que auxiliem os colaboradores a realizar os desejos que os levarão a fazer o trabalho da melhor forma possível. Aqui estão três maneiras de fazer isso de forma mais efetiva:

Aprecie o que cada pessoa tem de especial: Ao reconhecer a importância da individualidade, você demonstra que aprecia a diversidade de talentos. Quem sabe você não acaba descobrindo um diamante bruto no processo?

Peça opiniões para aumentar a satisfação: O *brainstorm* eficiente, que conta com a contribuição espontânea de todos no intuito de motivar ou resolver algum problema, funciona melhor quando a empresa organiza grupos de discussão específicos. É a melhor forma de conhecer as expectativas, reclamações e sugestões da equipe.

As pessoas valorizam objetivos cheios de significado: Lembre-se de que assuntos como desenvolvimento pessoal, reconhecimento e criatividade são tão importantes para os colaboradores como para você. Peça que eles descrevam como seria o trabalho ideal e use o que aprendeu para tornar o dia-a-dia da empresa mais prazeroso.

> **"Em última instância, o que está sendo discutido é a redefinição da relação entre chefe e subordinado."**
>
> JACK WELCH, ex-presidente da General Electric

FAÇA COM QUE OS COLABORADORES SE SINTAM SUBORDINADOS

FAÇA COM QUE OS COLABORADORES SE SINTAM PARCEIROS

Se você quer colaboradores altamente motivados, é fundamental que eles sintam e exerçam algum poder dentro da organização. Os melhores gerentes fazem com que cada colaborador seja um parceiro no negócio. Por quê? Porque as pessoas são o patrimônio mais valioso da empresa. E quando elas se sentem "donas" de alguma coisa, elas cuidam, protegem e dão tudo de si.

Uma tática muito utilizada para despertar o pensamento empreendedor dentro da organização (além da participação nos resultados e de bônus em ações) é a redefinição dos cargos e funções. Por exemplo: Starbucks e TDIndustries se referem aos colaboradores como *parceiros*. Marriott, Publix Supermarkets e Capital One os chamam de *associados*.

Uma das formas de transferir poder é fazer com que todos se sintam parceiros no negócio. Vejam outras táticas que prometem trazer os mesmos resultados:

Encoraje o pensamento empreendedor: Para que uma pessoa desenvolva o pensamento empreendedor, é preciso que ela veja a empresa com olhos de dono, não de subordinado. Isso significa se preocupar com os resultados do negócio e com a satisfação de todos os envolvidos. Esse é o tipo de atitude que você, como gerente, deve estimular. É algo que vai além da participação nos lucros e da concessão de promoções ou bônus – tem a ver com a motivação e o orgulho de ser tratado como parceiro, e não como mero funcionário.

Explique como o negócio funciona: Ajude a equipe a entender o que ocorre fora das quatro paredes de seu departamento. Se as pessoas tiverem noção da importância de seu trabalho e do diferencial que representam para a empresa, certamente trabalharão de maneira mais entusiasmada. Conhecer a história da organização também aumenta o senso de orgulho e de identidade corporativa. Por isso, sugira que leiam o relatório anual, com destaque para a mensagem do presidente, e encoraje-as a apontar ações que contribuam para que as metas estratégicas sejam alcançadas. E, acima de tudo, deixe que trabalhem essas idéias.

Deixe que os colaboradores se sintam "donos do negócio": Se você quiser que eles dêem tudo de si, ajude-os a descobrir qual é a sua contribuição no trabalho que realizam. O segredo está em fazer com que tenham mais autonomia e se sintam parte da "tribo" e, mais do que tudo, ajam como se fossem donos da empresa.

"É surpreendente o quanto você pode conquistar, se não se importar com quem leva a fama."

ABRAHAM LINCOLN

MANTENHA OS FUNCIONÁRIOS "NO ESCURO" SOBRE O NEGÓCIO

MOSTRE COMO O NEGÓCIO FUNCIONA

Para ter sucesso no mundo empresarial atual, toda e qualquer pessoa precisa conhecer mais sobre o negócio do que sobre suas próprias tarefas. Ela precisa saber, acima de tudo, como a empresa funciona.

Como gerente, é normal que você saiba exatamente como a empresa opera e administra as finanças, e também qual é o impacto de cada cargo e salário nos resultados do negócio.

Faz parte ainda de seu trabalho ampliar a visão da empresa em que trabalham. Comece estabelecendo um programa de treinamento voltado para os pontos básicos do negócio e as perspectivas do mercado. Faça ainda uma análise dos principais concorrentes, avalie os riscos, descreva o processo de decisão e o pensamento criativo.

A boa notícia é que ensinar os fundamentos do negócio pode ser uma experiência agradável e divertida. Há diversas técnicas disponíveis no mercado, algumas inclusive simulando a realização de um jogo. Está provado que o acesso a informações sobre o funcionamento da empresa, seu posicionamento no mercado e até seu faturamento melhora a motivação e o desempenho dos colaboradores.

A seguir estão algumas sugestões para motivar pessoas a conhecerem mais profundamente o funcionamento da empresa em que trabalham:

Fale sobre dinheiro: Mostre o balanço mensal do departamento. Isto ajuda os colaboradores a entenderem como seus cargos e tarefas se enquadram na organização e mesmo fora dela. Reserve um tempo para analisar cenários que mostrem o impacto do custo de uma pessoa nas despesas da companhia. Isto abre os olhos de qualquer um. O importante é mostrar como as atitudes e os comportamentos individuais afetam o desempenho operacional, as avaliações funcionais e as respectivas promoções salariais, a política de bônus e até a distribuição de lucros.

Incentive a administração do tipo "livro aberto": Esse conceito tornou-se bastante popular porque permite o compartilhamento das informações financeiras e das estratégias operacionais com os colaboradores. De forma simples e direta, esse tipo de administração revela quanto cada funcionário custa para a empresa e qual é seu valor agregado. Uma boa fonte de consulta para saber mais a respeito dessa abordagem é o livro *The Great Game of Business* (O grande jogo do negócio), de Jack Stack, bem como o site www.greatgame.com

Ajude as pessoas a enxergar o cenário mais amplo: É importante que os colaboradores vejam as coisas de forma mais abrangente e que também percebam o "efeito dominó" provocado nas contas da empresa por cada uma de suas ações. Isso estimula o pensamento empreendedor e, por tabela, a motivação para o trabalho. Para desenvolver profissionais mais inteligentes, habilidosos e altamente focados em alcançar o sucesso, é fundamental incentivá-los a abandonar a visão míope de suas tarefas específicas – e partir para o cenário mais amplo, ou seja: pensar grande.

"Confiança: é isso que une líderes e seguidores."
WARREN BENNIS

CONHEÇA SEUS CONCORRENTES

Quando os profissionais se unem para competir no mercado, sua motivação aumenta na mesmo proporção em que eles descobrem *quem* e *o que* estão enfrentando. Nada une tanto um grupo quanto o desafio de superar os níveis de desempenho dos adversários e, assim, ajudar a empresa a crescer como um todo.

Essa estratégia apresenta um pequeno risco, na medida em que acaba revelando informações consideradas sigilosas, tais como planos de incentivo, salários e outros benefícios. Mas lembre-se de que ao incentivar os colaboradores a conhecerem mais de perto a concorrência, você está apostando em sua habilidade como gerente de utilizar esse tipo de informação confidencial como ferramenta motivacional.

A meta mais importante é o desenvolvimento de um ambiente de trabalho mais inspirador, não apenas descobrir os novos programas de incentivo ou promoção salarial que a concorrência está praticando. Para isso, basta fazer com que a equipe entenda o cenário mais amplo no qual a empresa e seus concorrentes estão inseridos. Mas é claro que todos vão querer aplicar as vantagens competitivas que descobrirem para melhorar a própria empresa. Faz parte do jogo.

Dentro desse espírito, apresentamos algumas dicas fundamentais:

Ensine os colaboradores a serem competitivos: Mostre que para competir com maior eficácia é preciso saber tudo sobre a indústria. Para manter sua equipe atualizada em relação ao que acontece no mundo dos negócios, reserve uma verba para filiar todos os integrantes nas principais associações profissionais na sua área de atuação, de forma que tenham acesso a publicações técnicas, relatórios e estudos de caso relevantes. Grupos de discussão na internet sobre temas ligados ao seu setor e à administração de modo geral também são fontes preciosas de informação sobre a concorrência.

Monte um arquivo sobre a concorrência: Colecione todo o material promocional de seus principais concorrentes, tenha uma cópia de seus relatórios anuais e pesquise nos sites corporativos. Monte um dossiê com as campanhas publicitárias e os prêmios recebidos, além de perfis detalhados dos principais executivos da área. Se puder, monte uma equipe à parte para manter análises atualizadas das forças e fraquezas da concorrência, sua participação nas vendas, segmentação e alcance de mercado. Acompanhar o passo a passo da concorrência é a única maneira de se manter sempre um passo à frente.

Compare sua empresa com a concorrência: O modo mais fácil e rápido de fazer isto é pedir que os clientes avaliem sua empresa em relação aos concorrentes. Peça que sejam específicos e, se possível, falem sobre política de preços, relacionamento e qualidade dos produtos. Transforme esse feedback em um documento e utilize-o como base para implementar melhorias internas em seu departamento.

> **"Melhor do que saber tudo sobre o próprio negócio é saber tudo sobre o negócio dos outros."**
> JOHN D. ROCKFELLER, fundador da Standard Oil

REPREENDA QUEM TOMA DECISÕES DE RISCO

ENCORAJE DECISÕES DE RISCO INTELIGENTES

Você já se perguntou por que os colaboradores evitam tomar decisões de risco? Talvez porque, nas raras ocasiões em que tentaram e não obtiveram sucesso, foram duramente repreendidos ou até mesmo demitidos. E mesmo nos casos em que arriscaram e foram bem-sucedidos acabaram sendo recriminados por terem tido a iniciativa – afinal de contas, há canais e cadeias de comando, responsabilidades definidas e gerentes pagos para tomar decisões de risco e coisas do gênero.

A verdade é que as empresas têm enviado mensagens contraditórias para os colaboradores: *Queremos que vocês tenham poder e tomem decisões de risco – mas, se suas idéias fracassarem, serão despedidos!*

Vamos ser realistas: todo mundo comete erros. Os melhores executivos reconhecem que o conceito de risco calculado faz parte do desenvolvimento de uma postura empreendedora – ele é motivador. Como, então, criar uma cultura que encoraje os colaboradores a tomarem decisões inteligentes e arriscadas, sem medo de serem criticados ou mesmo demitidos?

A única maneira de melhorar o desempenho profissional é

experimentar novas estratégias e organizações, que, aliás, podem até não ter nada a ver com o negócio. Portanto, as pessoas precisam ser estimuladas a agir de forma arriscada, porém inteligente, e apoiadas e recompensadas mesmo quando o resultado não for o esperado.

Considere as seguintes idéias:

Diga aos colaboradores que o risco é a chave para o sucesso: As decisões de risco que forem criativas têm um efeito positivo em qualquer empresa. Ou seja, vale a pena assumir riscos, seja por meio de novas abordagens para realizar o trabalho cotidiano, seja pela experimentação de melhorias no processo de decisão. E se as coisas não saírem conforme o planejado? Tudo bem. Valeu a tentativa. Quando a empresa reconhece que "errar é humano", as pessoas se sentem mais seguras para assumir riscos.

Delegue poder para que a equipe tome decisões de risco: Como líder, você deve ser o primeiro a dar o exemplo, tentando coisas novas e assumindo posturas de risco. Explique como analisar os pontos críticos e avaliar as oportunidades em relação aos retornos em potencial para, então, decidir se vale a pena arriscar e se a empresa pode sustentar qualquer resultado, seja ele positivo ou negativo.

Estimule a tomada de decisão de risco como um comportamento a ser aprendido: Avaliação de riscos é uma arte que se aprende aos poucos, com a experiência. Lembre-se de que o risco está presente no seu dia-a-dia, seja na decisão de ter um filho, de comprar uma casa, de mudar de emprego ou de cidade. Quanto mais e maiores riscos a pessoa aprende a gerenciar, mais fácil fica assumir decisões inusitadas, mas com potencial para trazer bons resultados para a organização.

"O problema não está no fracasso, mas no objetivo 'pequeno'."

JAMES RUSSELL LOWELL

NÃO VALORIZE A CRIATIVIDADE

INCENTIVE O PENSAMENTO CRIATIVO E INOVADOR

O segredo de uma empresa que sobrevive e prospera por várias décadas, ou mesmo séculos, está no grupo de executivos que aprendeu a se adaptar às mudanças no cenário corporativo – às vezes até se antecipando às transformações que ocorrem a seu redor.

Eles certamente são motivadores natos, do tipo que encorajam a criatividade entre os colaboradores. Eles sabem que sua principal missão é eliminar os medos da equipe em relação ao pensamento inovador. Sim, porque há pessoas que se consideram incapazes de elaborar idéias originais, enquanto outras tendem a ser racionais, analisando e julgando as idéias assim que elas surgem.

Ao incentivar os colaboradores a relaxar, e não achar que algo vai dar errado somente porque ainda não foi testado, você os orienta a não fazer julgamentos críticos quando surge alguma abordagem incomum para um problema – ou mesmo um jeito diferente de executar uma ação corriqueira. O objetivo é colocar em prática as novas idéias, e não ficar procurando erros.

Os gerentes campeões de motivação são aqueles que transformam o local de trabalho em um ambiente inspirador e receptivo a qualquer novidade. Não importa se a idéia parece inviável à primeira vista. O importante é manter o espírito de equipe, assim como a disposição para usar a imaginação em prol do sucesso da empresa (e deles mesmos, é claro).

Conheça algumas maneiras de estimular a criatividade dos colaboradores:

Pense grande, pense virtualmente: Hoje em dia, as reuniões podem ser feitas à distância, graças às salas de conferência virtuais e outras facilidades tecnológicas. Esse tipo de encontro funciona muito bem pois, assim como a versão tradicional, os colaboradores se "encontram" e trocam idéias com colegas não só de sua filial, mas também de com pessoas de outras cidades ou até mesmo de outros países.

Desenvolva um pensamento criativo e inovador: Comece reservando um tempo para discutir abordagens novas e criativas para velhos problemas. Como gerente, você não deve apenas apoiar o pensamento inovador, mas também colocá-lo em prática. Incentive a leitura especializada – no caso do tema criatividade, indique os seguintes títulos: *Um "toc" na cuca,* de Roger von Oech; *Thinkertoys – Manual de criatividade em negócios*, de Michael Michalko; *Pense como Einstein,* de Scott Thorpe. Elogios às iniciativas da equipe são bem-vindos, seja via e-mail coletivo, comunicados especiais, publicações internas ou mesmo na conversa do dia-a-dia.

Enfatize os aspectos positivos das soluções inovadoras: É recomendável ressaltar o lado positivo das soluções inovadoras e as desvantagens de fazer as coisas de forma rotineira. Evite penalizar alguém por tentar algo diferente que não tenha dado certo – encoraje a pessoa a aprender com os próprios erros. É sua responsabilidade incentivar a liberdade de expressão e elogiar a criatividade e a habilidade de pensar estrategicamente.

"Não há nada mais insano do que fazer as coisas sempre da mesma maneira e esperar que os resultados sejam diferentes."

ALBERT EINSTEIN

IGNORE A RELAÇÃO ENTRE MOTIVAÇÃO E DESEMPENHO

RESSALTE A RELAÇÃO ENTRE MOTIVAÇÃO E DESEMPENHO

Como líder, você sabe que há uma ligação direta entre a motivação e o desempenho dos colaboradores. Na verdade, essa conexão varia de acordo com a cultura da empresa e com seu entusiasmo na divulgação desse tema entre os colaboradores.

Você deve ter acompanhado casos de sucesso como a Disney, a rede de cafés Starbucks e os hotéis Ritz Carlton. Essas empresas parecem ter "algo a mais" no relacionamento com os clientes, da mesma forma que os colaboradores parecem realizados e felizes por trabalharem lá.

É quase palpável – você pode sentir a energia que existe entre o ótimo desempenho desses colaboradores e sua motivação. E isso se reflete na qualidade do trabalho. Portanto, se você ainda tem dúvidas sobre essa correlação, é hora de mudar de idéia.

Aqui estão três fatores importantes a serem considerados quando surgir a oportunidade de transformar a motivação de sua equipe em altos níveis de performance e produtividade:

Saiba o impacto que você provoca nas pessoas: Todo gerente às vezes sente que exerce pouco ou nenhum impacto sobre a motivação da equipe. Vamos ser francos: há coisas sobre as quais você tem total controle – como condições de trabalho, definição de tarefas, salários e benefícios –, enquanto outras estão simplesmente fora de sua alçada. Para estimular o desempenho do colaborador, pesquise o que tem sido utilizado com sucesso em outras empresas e avalie as melhores estratégias com objetividade. Evite truques motivacionais e atitudes festivas que não levam a nada, assuma uma atitude de liderança e use suas habilidades profissionais e pessoais – você vai se surpreender com a reação positiva de sua equipe e o aumento da produtividade.

Deixe claro o que você considera um bom desempenho: É sua responsabilidade definir claramente quais são os padrões de execução e performance considerados satisfatórios. Não pressuponha que as pessoas saberão, automaticamente, o que a palavra "desempenho" significa para você. Só então será possível mostrar como o bom desempenho depende da motivação dos colaboradores, e vice-versa.

Diga o que espera das pessoas e seja específico: Aqui estão algumas questões que todos os gerentes deveriam ser capazes de responder a cada colaborador: "O que se espera de mim?"; "Qual o meu papel dentro do grupo e dentro da organização?"; "O que é considerado um desempenho insatisfatório?"; "O que eu preciso fazer para atingir os padrões de desempenho?". O ideal é que as respostas sejam as mais explicadas e detalhadas possível. Isso aumenta as chances de os profissionais atenderem suas expectativas.

"Quem se entusiasma com o próprio trabalho não tem nada a temer na vida."

SAMUEL GOLDWYN

DEIXE QUE SUA EQUIPE SE EMPENHE EM MELHORAR SUA PERFORMANCE

AJUDE SUA EQUIPE A ATINGIR UMA PERFORMANCE DE ALTO NÍVEL

Nos primeiros capítulos deste livro nós nos dedicamos a ajudar os colaboradores a perceberem que a motivação está dentro de cada um, que é algo intrínseco. Também mostramos de que maneira você, como gerente ou supervisor, pode influenciar as forças que impulsionam as pessoas a darem o máximo de si mesmas. Agora, nosso objetivo é fazer com que a equipe *direcione* seus esforços para transformar motivação em alto desempenho e produtividade.

Veja algumas maneiras de conseguir isto:

Incentive as pessoas a superarem seus próprios limites: Para que os colaboradores tenham um desempenho melhor e mais abrangente ao executarem as tarefas rotineiras, é preciso criar desafios. Para isso, nada melhor que ajudá-los a ter uma visão mais ampla do papel que desempenham nesse cenário. Eles podem resistir se sentirem que suas expectativas são altas demais, mas deixe claro que sua intenção é levá-los a superar os seus próprios limites. Há algumas maneiras de conseguir isso: fazendo com que estabeleçam metas ambiciosas, mostrando como o seu trabalho agrega valor à organização e como o que eles fazem afeta o trabalho dos outros. Cumprida essa etapa, eles podem imaginar diferentes formas de incrementar e desenvolver o próprio talento.

Estabeleça padrões e seja claro: Identifique os padrões para a realização de um trabalho determinado e seja específico quanto ao que caracteriza o desempenho excelente e também o medíocre. Envolva os colaboradores nessa tarefa, de forma que identifiquem os obstáculos que minam seus esforços e, dessa forma, antecipem os possíveis problemas. Colaboradores comprometidos estão mais aptos a entender os objetivos e as razões da empresa, e também estariam mais dispostos a aceitar as regras do sucesso, trabalhando com motivação para dar o melhor de si.

Defina a responsabilidade de cada um: Distribua tarefas e responsabilidades de forma clara e inequívoca. Quando cada funcionário conhece o seu papel, ele tem mais segurança e clareza de como deve trabalhar em equipe para alcançar sua meta individual. O próximo passo é abrir novas oportunidades de trabalho para os mais esforçados, quem sabe dando autonomia na condução de um projeto. Cuide apenas para não sobrecarregar a equipe. É importante que ela saiba que você realmente valoriza seu esforço e que gostaria de ampliar as oportunidades de aprendizado, pois todos ganham quando a meta estabelecida é ultrapassada.

> **"Nem todo mundo possui os mesmos talentos, mas deveria ter oportunidade de desenvolvê-los."**
>
> JOHN F. KENNEDY

NÃO SE PREOCUPE COM O NÍVEL DE COMPROMETIMENTO DO FUNCIONÁRIO

FAÇA COM QUE SE COMPROMETAM COM SUAS IDÉIAS – E COM AS DELES

Quanto mais informações um funcionário tiver sobre o trabalho a ser feito, mais facilmente ele aceitará suas sugestões sobre como executá-lo de forma impecável. Ao perceber que seu desempenho está sendo acompanhado com atenção, e suas idéias são bem recebidas, ele fica ainda mais motivado a aceitar as sugestões do seu supervisor.

Todos os gerentes gostam de pensar que ao influenciar o nível de comprometimento da equipe envolvida em um projeto, ela se sentirá de alguma maneira na obrigação de apoiá-lo. Mas isso não é totalmente verdade. A equipe só investe sua habilidade e energia quando de alguma forma se sente "dona" .

Tendo a oportunidade de se envolver, as pessoas ficam tão motivadas que mostram altos níveis de desempenho em todos os sentidos. A seguir, considere algumas maneiras de realizar isso de forma bem-sucedida:

Incentive a equipe a elevar os padrões de desempenho e performance: Quando sua participação no esforço de elevar os padrões de desempenho é levada em consideração, os colaboradores dividirão ansiosamente com você as idéias e sugestões que tiverem para melhorar o processo de trabalho.

Não esqueça que quase todos desejam melhorar sua própria performance. Quando se sentem valorizados, o progresso é maior do que se pode imaginar.

Coloque no papel tudo o que você e seus colaboradores concordaram em fazer: Faça uma lista por escrito dos padrões de desempenho desejados e distribua a cada membro de sua equipe. Esta é a melhor forma de verificar se as metas foram alcançadas ou não. Lembre-se: para que os colaboradores continuem a se superar, é preciso que as metas sejam viáveis. Esta é a chave para se manter a equipe altamente motivada. Na hora da avaliação de desempenho, ou na finalização de um projeto, esse documento servirá de base para você e cada funcionário verificarem o que foi realizado. Não esqueça que tudo o que pode ser mensurado traz mais motivação.

Determine uma linha de ação e vá em frente: Quando estabelecer os padrões, revise as tarefas específicas de cada pessoa, planeje a rota de ação e delegue poder baseado na experiência e competência de cada funcionário. Avise que, uma vez que o projeto foi iniciado e todos tiveram acesso às complexidades do trabalho, haverá uma reavaliação das metas. É importante que elas continuem sendo desafiadoras, mas realistas. Revisar o trabalho também permite reforçar a motivação e, com isso, ajudar cada membro da equipe a ter sucesso.

> **"Cada gerente sabe como agregar valor, mas os gerentes inteligentes sabem o que deve ser valorizado."**
>
> ANÔNIMO

NÃO SE PREOCUPE COM RECOMPENSAS E RECONHECIMENTO

DEFINA ANTECIPADAMENTE A RECOMPENSA E A META DE DESEMPENHO

Deixe os colaboradores saberem antecipadamente o que ganharão se atingirem ou excederem as metas de desempenho que foram estabelecidas em comum acordo. Seja claro sobre as recompensas que estão à sua espera. À primeira vista, pode parecer melhor para a empresa que os colaboradores cheguem perto da meta, mas não consigam atingi-la. Afinal, isso significaria que o desempenho havia sido satisfatório, o que é ótimo, e ainda assim a empresa teria economizado ao não distribuir os prêmios. Mas os gerentes inteligentes sabem que a busca da excelência, mesmo aumentando os custos, alimenta a motivação em todos os níveis.

O ideal é não protelar. Quando os colaboradores completarem uma tarefa e atingirem o padrão de desempenho que você estabeleceu, recompense-os imediatamente. Isso cria um círculo vicioso positivo: quando uma tarefa é completada com sucesso, automaticamente a pessoa lembra que isso merece um prêmio.

Outra coisa importante: nunca prometa nada que não possa cumprir. Frustrações desse tipo deixam a equipe desconfiada e achando que você não acredita em sua capacidade de execução. Por outro lado, não transforme as recompensas no único motivo para que os colaboradores melhorem o desempenho. É preciso tratar as recompensas como meros instrumentos de reconhecimento por um trabalho bem-feito, e não como a razão que justifica o trabalho.

Não esqueça que existem pessoas por trás dos números de desempenho. Recompensas e reconhecimento devem se ajustar à importância da realização, mas também devem agradar a quem as recebe. Se você quiser premiar um funcionário de telemarketing, uma boa idéia pode ser um final de semana com hospedagens e refeições pagas. Entretanto, se a pessoa trabalhar na área de viagens, esse prêmio não parecerá tão interessante, já que ela deve estar acostumada a freqüentar hotéis e restaurantes.

A seguir, veja algumas técnicas simples, fáceis – e nada caras –, para conquistar a simpatia dos colaboradores que realizaram um bom trabalho:

Aumente a autonomia: Dar autonomia significa confiar na capacidade de tomar decisões que afetam o trabalho. Também traz um maior senso de responsabilidade.

Aumente a visibilidade dentro da organização: Envie um e-mail ou memorando geral com elogios quando alguém faz um bom trabalho. Isso aumenta a visibilidade do funcionário, reforçando o que ele fez de positivo. Se a verba permitir, ofereça prêmios extras para quem se destacar – pode ser um novo computador, um software atualizado, a contratação de um estagiário, a compra de livros ou mesmo a inscrição em algum curso.

Coloque o sucesso na vitrine: Divulgar a ação de um funcionário é uma demonstração especial de reconhecimento, algo como um certificado, uma placa comemorativa ou um troféu. Há gerentes que gostam de apresentar as melhores performances da equipe em reuniões trimestrais, mas há ocasiões em que os próprios colaboradores falam de seu trabalho em reuniões gerenciais ou conferências sobre liderança.

> **"Existem duas coisas que as pessoas desejam mais do que sexo e dinheiro: reconhecimento e elogios."**
> MARY KAY ASH, fundadora da Mary Kay Cosmetics

CRIE POUCAS EXPECTATIVAS

SEMPRE ESPERE O MELHOR DOS COLABORADORES

É absolutamente natural, e até inevitável, que os gerentes criem expectativas em relação à equipe. Pesquisas mostram que nossas expectativas em relação a outras pessoas estão diretamente ligadas à produtividade, à lucratividade e, é claro, à motivação no trabalho.

A performance é quase sempre uma questão de expectativa. Sim, porque quando se tem esperança de algum desempenho excepcional por parte de determinada pessoa, isso acaba influenciando o comportamento da chefia. Por outro lado, se você não espera muito, a pessoa perceberá isso e naturalmente sentirá diminuir seu entusiasmo pelo trabalho. Por quê? Porque o nível de expectativa afeta diretamente o desejo, a disposição, a vontade de dar o melhor de si.

As pessoas tendem a funcionar de acordo com os sinais que recebem. Por isso, espere sempre o melhor de sua equipe e não fique surpreso se ela corresponder às suas expectativas – para melhor ou para pior.

Aqui estão algumas idéias de como os gerentes podem obter o melhor de seus colaboradores:

Consiga o que você pediu: As expectativas influenciam o

comportamento. Se você imaginar o melhor para as pessoas, elas o surpreenderão demonstrando um desempenho superior ao esperado. Isto é especialmente verdadeiro se você demonstrar que acredita na capacidade delas e, também, é claro, se as pessoas receberem todas as informações e ferramentas necessárias para a realização de suas tarefas.

Aja conforme as expectativas: O desempenho profissional melhora substancialmente quando o gerente é informado em primeira mão que irá liderar um grupo de grande potencial. Como a tendência é que ele passe a esperar algo excepcional, o resultado confirmará (ou superará) as expectativas. Mostre seu comprometimento com a qualidade, distribuindo prêmios para os campeões de desempenho.

Crie um ambiente de alta performance e alta produtividade: Se você quiser realmente motivar os colaboradores, deve criar deliberadamente um ambiente que estimule as pessoas a dar o máximo de si próprias. Isto significa que os objetivos gerais da empresa, e os específicos de cada equipe, devem estar claros para todos – e que o trabalho deve ser considerado estimulante e desafiador, e as pessoas devem ser valorizadas e respeitadas. Todos os recursos devem estar à disposição do grupo, que deve se ajudar mutuamente.

**"Liderança é desempenho.
Você precisa estar consciente de
seu desempenho, porque todo mundo está."**

CARLY FIORINA, ex-presidente da Hewlett Packard

INSPIRE SUA EQUIPE A AUMENTAR A PRODUTIVIDADE

Os grandes líderes são em geral pessoas inspiradoras. Elas parecem ter um talento natural para trazer otimismo e fé num futuro melhor.

Inspire sua equipe a atingir altos níveis de performance e de produtividade, criando um ambiente que eleve o nível de realização, satisfação e excelência pessoal.

Faça o possível para mostrar que suas ações são sinceras e significativas e têm como objetivo melhorar o trabalho.

Considere as seguintes estratégias:

1) Peça sugestões, idéias e críticas sobre o ambiente de trabalho atual e como ele pode ser melhorado. Formalize um plano e deixe que a equipe o coloque em prática – isso é supermotivador.

2) Enfatize seu comprometimento pessoal e não esqueça de elogiar o envolvimento da equipe com o trabalho.

3) Relacione o sucesso de sua equipe com o sucesso da organização.

Ao implementar essas três estratégias, você estará disseminando os valores gerenciais que a empresa consagrou. O resultado será benéfico para ambas as partes.

A seguir, algumas maneiras adicionais de estimular os colaboradores:

Distribua prêmios: Uma das metas mais importantes de qualquer programa de motivação é fazer com que os colaboradores sintam que o trabalho em si é a maior recompensa. Um desempenho bem-sucedido precisa ser recompensado à altura. Portanto, distribua prêmios e elogios a todos que contribuíram para o sucesso da empresa. Se uma equipe aperfeiçoa um processo, e isso resulta numa enorme economia de recursos, é uma boa idéia dividir o bônus ou uma percentagem sobre o valor economizado entre as pessoas envolvidas.

Reconheça e elogie: Existem outras formas de premiar a excelência no trabalho além do aumento salarial. Um simples elogio pode ter efeitos surpreendentes. Dê preferência a agradecimentos pessoais, seguidos por um e-mail ou carta de congratulação. Nesses tempos de comunicação virtual, um cartão ou bilhete manuscrito ganha um valor todo especial. Não esqueça de ser específico nos elogios.

Treine, treine, treine: Nada estimula mais o bom desempenho do que o treinamento. A mensagem, nesse caso, é direta: "Você é valioso para esta organização, por isso investimos em você!" Crie oportunidades de aprendizado, dentro e fora da empresa, e encoraje o desenvolvimento das habilidades e competências profissionais e pessoais. A motivação vai chegar às alturas. Quando oferece seminários ou cursos eletrônicos *(e-learning)*, a empresa revela sua crença no aprendizado contínuo como forma de aperfeiçoamento.

Certifique-se de que os colaboradores terão chance de colocar em prática o que aprenderam. Dessa forma, o investimento se paga rapidamente e as pessoas têm oportunidade de assimilar realmente o que aprenderam.

"A melhor e mais rápida maneira de ficar rico é fazer com que as pessoas percebam que é do interesse delas promover os seus interesses."

JEAN DE LA BRUYERE, escritor francês do século XVII

O MORAL NÃO É IMPORTANTE

CRIE UM PROGRAMA DE INCENTIVOS PARA LEVANTAR O MORAL

Todo mundo sabe que a maneira mais fácil de tornar o trabalho mais atraente é aumentar o pacote de benefícios oferecidos aos colaboradores.

Os tempos em que as vantagens se resumiam a um plano de saúde e um seguro de vida ficaram para trás. É preciso ser cada vez mais criativo para aumentar o moral da empresa, motivar a equipe e tornar mais agradável o ambiente de trabalho.

Veja como algumas empresas de primeira linha nos Estados Unidos criaram planos de incentivos altamente diferenciados para aumentar o desempenho e deixar a equipe motivada:

- Goldman Sachs, de Nova York: Quando os colaboradores trabalham até mais tarde, a firma de Wall Street disponibiliza, sem custos, uma limusine para levá-los para casa.
- Valassis Communications, de Michigan: Os colaboradores têm acesso a um plano de descontos em produtos e serviços. Se o carro vai para o conserto, por exemplo, há carros de aluguel à disposição – assim como descontos no pagamento de empregadas domésticas e na compra de produtos infantis.
- MBNA, de Delaware: Quando alguém se casa, a empresa

oferece presentes generosos, incluindo o aluguel de limusine para levar a noiva à igreja, um bônus de US$ 500 para a lua-de-mel, mais uma semana de férias.

- WRQ, de Seattle: Simples, mas eficiente, a estratégia desse fabricante de software foi montar uma sala com confortáveis *futons* para os colaboradores tirarem uma soneca depois do almoço.
- J.M. Smucker, de Ohio: Esse fabricante de geléia implantou um programa de rotação de cargos para manter os colaboradores interessados e motivados.
- Dell Computer, do Texas: Além das férias previstas em lei, a empresa oferece uma semana extra no período do Natal e 10 dias de folga ao longo do ano.

A seguir, três diretrizes para criar planos de incentivo que funcionem como diferenciais para sua empresa:

Seja flexível com os colaboradores: Você sabia que ajudar as pessoas a equilibrar a vida particular aumenta a motivação? E que a habilidade mais requisitada no trabalho é a flexibilidade? As necessidades dos colaboradores são muito variadas: vão de um horário de trabalho flexível até a divisão do trabalho por turnos (a tarefa é feita em esquema de revezamento de equipes), redução da jornada de trabalho no verão, semana de trabalho menor (10 horas por dia, quatro dias por semana) e folgas para cuidar de assuntos pessoais.

Motivar com criatividade: Sim, é possível motivar os colaboradores com pouco ou nenhum dinheiro. Para isso vale desde colocar um bilhete de agradecimento na porta do escritório da pessoa que se destacou naquela semana até organizar um mutirão de gerentes para lavar os carros dos colaboradores. Outras idéias: pequenos encontros para levantar o moral e comemorar o sucesso da equipe, convidar o funcionário para almoçar no lugar de escolha dele, distribuir um "vale jantar" a quem fizer algo especialmente produtivo e enviar flores como demonstração de reconhecimento.

Faça como os outros: Seja um modelo do que você espera dos outros. Comece demonstrando entusiasmo, ressaltando o lado positivo das novas idéias. Dê exemplos de pessoas que superaram obstáculos para atingir suas metas, numa demonstração prática de que todo problema tem solução. Faça reuniões individuais com os colaboradores, mas prefira encontros em grupo quando o moral estiver baixo. Demonstre otimismo e confiança na equipe. Concentre-se nas pequenas, porém significativas vitórias – não apenas nos grandes sucessos. Faça do trabalho uma diversão e comemore muito.

"As pessoas querem sentir que seu trabalho faz a diferença."

FRANCES HESSELBEIN, presidente da Peter Drucker Foundation

ACUMULE PODER

DELEGUE PODER

Torne sua equipe poderosa. Para isso, prepare-se para abrir mão de seu poder. Os melhores gerentes sabem que colaboradores seguros, confiantes e capazes rendem mais. Também já estão familiarizados com o seguinte princípio básico: quando a equipe se sente excluída nos processos de decisão da empresa e sem nenhuma autoridade ou responsabilidade sobre o próprio trabalho, acaba tendo um péssimo desempenho – sem contar a tendência de se lamentar e reclamar o tempo todo.

É por isso que os gerentes campeões de motivação delegam cada vez mais poder. É verdade que muitos resistem a agir dessa forma, porque no fundo gostam de ter a autoridade nas mãos. Mas pense bem: seu papel não é o de controlar o poder, mas usá-lo como um recurso, um meio para alcançar um fim.

Seja esperto: use sua autoridade para obter resultados e fazer com que os colaboradores trabalhem mais e melhor. Em última instância, é isso que o cargo exige. Quando você delega o poder, divide a responsabilidade com a equipe – e isso os deixa tão motivados que você pode até aposentar o "chicote" e os outros recursos tradicionais para influenciar seu desempenho profissional.

Veja algumas lições adicionais:

Ajude os colaboradores a transformar responsabilidade em motivação: Quando a automotivação é a única saída, os colaboradores sabem que o sucesso depende deles. Por isso, dê-lhes carta branca para que executem o projeto ou tarefa do jeito que quiserem. Isto liberará uma grande dose de energia e motivação. Lembre-se de que um dos grandes obstáculos à motivação é quando o gerente delega poder e depois volta atrás. Os melhores executivos não cometem esse erro.

Deixe-os experimentar o poder: É fundamental liberar o potencial de criatividade que existe em cada pessoa. Quando ela tem autonomia sobre seu trabalho, experimenta uma sensação de autoridade que leva à responsabilidade pelos resultados.

Redefina seu papel como gerente: Não deixe que a descrição dos cargos e o organograma sejam elementos restritivos. Afinal, todo mundo é um líder. Comece aumentando o círculo de influência de cada colaborador. Depois, amplie a autoridade formal até o limite possível. Dê espaço para a criatividade e delegue responsabilidades. Elimine as regras e se baseie no senso comum e na capacidade de julgamento de cada pessoa. O manual de ética da loja de departamentos Nordstrom resume bem esse conceito: "Regra número 1: Use o bom senso em todas as ocasiões. Regra número 2: Revoguem-se as disposições em contrário."

"Se você quiser que alguém faça um bom trabalho, primeiro lhe dê um trabalho bom."

FREDERICK HERZBERG, teórico de Administração

DESESTIMULE O SENSO DE RESPONSABILIDADE

ESTIMULE A RESPONSABILIDADE EM TODOS OS MOMENTOS

Qual é a melhor maneira de estimular a responsabilidade em sua equipe? Ajudando-a a entender e a apreciar seu papel no cenário mais amplo do negócio.

Há um ditado que deveria servir de reflexão para todos os gerentes: "Uma andorinha só não faz verão." Ou, se quisermos um enfoque mais positivo: "Nenhuma andorinha pode ficar com a fama de trazer o verão." Há muitas andorinhas trabalhando juntas. Cada uma dá a sua contribuição.

O comportamento excepcional só é possível quando a pessoa se sente responsável por seus próprios atos. Definitivamente, não é uma questão de se empenhar para receber um aumento ou promoção. O que motiva cada um a superar seus próprios limites, e a atingir o seu máximo, é a motivação interior, que vem de nossos corações e mentes. Não há força mais poderosa.

Veja algumas idéias para se manter bem informado sobre o assunto:

Encoraje os colaboradores a acreditar neles próprios: Qualquer que seja a decisão que você tome como gerente, o importante é estimular a auto-estima dos membros da sua equipe. Isto não apenas lhes servirá de guia, mas também como inspiração para cumprirem as tarefas para as quais foram designados. Um bom exemplo de autoconfiança é o da americana Ffyona Campbell, que certa vez fez uma caminhada de 16 mil quilômetros na África. Quando indagaram por que ela decidiu se aventurar sozinha e a pé pelo deserto africano, ela respondeu: "Porque eu prometi que o faria." Quando perguntaram a quem ela havia prometido, ela disse: "A mim mesma." Ffyona acreditava em si mesma.

Ajude os outros a superar as barreiras para o sucesso: Automotivar-se e ser responsável são as duas características de personalidade necessárias para uma pessoa estabelecer um objetivo e atingi-lo – é a força que nos move rumo à nossas façanhas e realizações. Existem duas maneiras efetivas de ajudar sua equipe a estabelecer essa conexão campeã. A primeira é enfrentar o medo, expondo abertamente seus temores e redirecionando suas metas. Dessa forma, você diminui a ansiedade que atrapalha a tomada de decisões e ganha segurança. A segunda maneira se resume em focar nos resultados. Ajude os colaboradores a visualizarem o que é o sucesso e os motive a chegar lá.

Delegue responsabilidades aos colaboradores: A verdadeira responsabilidade vai além da realização de uma tarefa. Tem a ver com a pessoa se sentir responsável por ações e resultados. As dicas para que a equipe responda por suas ações são as seguintes: faça uma lista de critérios de desempenho considerados aceitáveis; associe as expectativas com as análises críticas sobre seu trabalho e escreva um relatório a respeito;

estabeleça recompensas pelo bom desempenho e também pelas conseqüências de um trabalho mal executado; eleja a excelência como a única opção e demonstre pouca tolerância com a mediocridade.

"Devemos trocar a filosofia das desculpas ('Está além do meu controle') pela filosofia da responsabilidade."

BARBARA JORDEN, advogada e ex-deputada federal

NÃO SE PREOCUPE EM CONSTRUIR RELAÇÕES DE CONFIANÇA

TENHA CONFIANÇA NUM FUTURO MELHOR

A motivação muitas vezes é baseada em uma visão de esperança – no sucesso de nossos esforços e em um futuro melhor para nós mesmos. Em outras palavras, em *como a vida poderia ser*.

Quando acreditamos na possibilidade de momentos melhores, um futuro mais brilhante se descortina. Como gerente, seu trabalho mais importante é justamente levar esperança para as pessoas que trabalham com você. Não confiança pura e simples, mas um sentimento que mostre uma direção, credibilidade e um encorajamento genuíno.

Quando as pessoas se sentem bem em relação ao que virá, ficam mais entusiasmadas e comprometidas com a tarefa na qual estão envolvidas. Todo mundo sabe que há um pote de ouro no fim do arco-íris. Isso é motivador.

Veja outras técnicas utilizadas pelos gerentes para manter a confiança no futuro:

Entenda o fenômeno do potencial humano: Raras são as pessoas que têm consciência da própria potencialidade. É aí que entra o líder – para ajudar as pessoas a desenvolverem essa possibilidade, encorajando-as a experimentar diferentes idéias e a assumir novas responsabilidades. O filme de John Travolta,

Fenômeno, pode ser um exemplo inspirador para sua equipe. A história transmite uma mensagem profunda sobre nosso potencial não revelado, que se manifesta de forma emocionante no final do filme. "Eu sou o que todo mundo pode ser. Eu sou a possibilidade de cada um chegar lá", diz George Malley, o personagem de Travolta.

Construa uma relação de confiança: Elemento essencial para a gestão de pessoas e para o desenvolvimento de uma empresa líder, a confiança é o fundamento sobre o qual todos os relacionamentos são construídos. De acordo com o economista Tom Peters, "técnica e tecnologia são importantes, mas agregar confiança é o grande desafio da década". Peters sugere que os gerentes trabalhem com base na "alta tecnologia e alta confiança" e mantenham esse conceito no topo de suas prioridades, dando a ele a devida importância. Se os colaboradores se sentirem inseguros, ficarão relutantes em obedecer às suas ordens. Por outro lado, se eles acharem que você acredita em sua capacidade de fazer a coisa certa, corresponderão às suas expectativas.

Mostre aos colaboradores que eles merecem sua confiança: Quando você confia em alguém, está enviando a seguinte mensagem: "Você é digno de confiança." Ou seja: que você tem fé nas suas habilidades e competências e que acredita na sua capacidade de realizar o trabalho proposto. Alguns gerentes não se preocupam em demonstrar confiança no relacionamento com sua equipe, mas trata-se de uma atitude importante – embora muitas vezes ela seja usada em um contexto negativo. Preste atenção nesta frase: "Agora, Matt, eu acredito que você acertará." No fundo, ela quer dizer: "Matt, não me decepcione desta vez." Quando as pessoas falam: "Estamos apostando que você fará o melhor possível, Jane", estão, na verdade, dizendo o seguinte: "Não sabemos o que está acontecendo aqui, Jane, portanto nós esperamos que você faça o melhor para acabar com isso." Esse discurso "confiante" dificilmente motivará Matt e Jane, pois não é convincente. Os colaboradores precisam estar seguros para caminhar com as próprias pernas, pensar com a própria cabeça, fazer as perguntas certas e tomar as decisões que considerarem as melhores.

"A confiança que temos em nós mesmos nos leva a confiar nos outros."

FRANÇOIS DE LA ROCHEFOUCAULD,
escritor francês do século XVII

NÃO SE PREOCUPE COM O MORAL DA EQUIPE

LEVANTE O MORAL DA EQUIPE

O moral está ligado ao entusiasmo e ao comprometimento das pessoas no dia-a-dia de seu trabalho. Ele afeta diretamente a busca pela excelência.

Moral baixo = motivação baixa. Moral alto = desempenho alto.

Não há dúvida que existe uma relação direta entre os dois princípios, embora a questão não seja assim tão simples. A atmosfera de um ambiente de trabalho é desenvolvida a partir dos conceitos de integridade e confiança. Todas as empresas dependem dos relacionamentos que os colaboradores estabelecem uns com os outros.

Não basta que os executivos confiem na equipe, é preciso que a equipe também confie nos executivos – e em seu interesse em atender aos interesses individuais e aos da equipe, e vice-versa.

Lembre-se de que as pessoas são o maior ativo de uma empresa. A competência profissional abre as portas, mas a chave para que tenham um desempenho superior está em suas atitudes. Por isso, quanto mais confiança você demonstra nos colaboradores, mais eles se sentem motivados – e com o moral nas alturas.

Observe algumas formas de levantar o moral no ambiente corporativo:

Faça o que você diz que vai fazer: Prometa pouco e faça muito. Não há nada mais poderoso e confiável do que agir conforme suas palavras. O inferno está cheio de boas intenções. Os colaboradores precisam ter certeza de que suas ações se realizarão. Demonstrações práticas são bem-vindas. O moral alto virá naturalmente.

Privilegie a integridade: A integridade já foi descrita como a mais alta forma da inteligência humana. Não se trata apenas de uma expansão da honestidade, e sim do sentimento de confiança que nos resta quando perdemos nossas credenciais e reputação. A fibra moral, a consciência, as principais crenças e os valores de uma pessoa. Além de ser uma das bases do ambiente de trabalho com uma atmosfera positiva.

Seja verdadeiro e mostre seu lado humano: Você acredita mesmo no que diz aos outros? Você é seguro de si? Você lidera pelo exemplo e se comporta conforme seus próprios valores? Seja honesto e não hesite em confidenciar seus erros, esperanças e sonhos. Você não será um bom gerente se agir de maneira contrária ao que realmente acredita. Desça do pedestal e interaja com os colaboradores – eles o respeitarão e apreciarão sua honradez e humanidade. Estas são as características fundamentais de um ambiente com altos padrões de moralidade.

"Devemos fazer mais do que simplesmente a coisa certa. Devemos também fazer certo as coisas."

Trecho de "Nossos valores", da Pfizer Pharmaceutical

DIVERSÃO E TRABALHO NÃO SE MISTURAM

DIVIRTA-SE E FIQUE MOTIVADO

Há uma relação direta entre diversão no trabalho e produtividade, criatividade, moral, satisfação, baixa rotatividade de pessoal e – como você bem pode imaginar – lucratividade. Sem mencionar a maior satisfação dos clientes e uma série de outros benefícios. Os resultados são claros e há muitos exemplos irrefutáveis.

Um ambiente ameno ajuda a aliviar o estresse e a tensão, melhora a comunicação, reduz os conflitos, une as pessoas, elimina o marasmo e a fadiga e traz muita energia positiva. Em outras palavras, as pessoas que se divertem trabalhando vêem a empresa como um local agradável, o que reforça a motivação e aumenta os níveis de desempenho e produtividade.

Para ter sucesso e liderar uma equipe motivada, você precisa fazer com que as pessoas tenham vontade de trabalhar e *queiram* ir à empresa todos os dias. As que entram nesse clima acabam energizando os colegas, o que é uma grande vantagem.

Se você quer levar a vida menos a sério, e começar a se divertir enquanto trabalha, leve em consideração as seguintes atitudes:

Estimule a "motivação-diversão": Vamos imaginar que você está convencido de que afrouxar a gravata cria um ambiente de trabalho mais agradável e divertido. Ótimo! Mas suponha que você não saiba como implantar essa filosofia em sua empresa. Veja as técnicas para desenvolver a "motivação-diversão":

- Rir com as pessoas, não rir delas.
- Relaxar, não se levar muito a sério.
- Ter senso de humor.
- Adotar uma atitude divertida e lúdica.
- Planejar divertir-se todos os dias.
- Ajudar os outros a ver o lado "leve" das coisas.

Diversão pode rimar com obrigação: Você sabia que um ambiente de trabalho agradável pode reduzir o número de faltas, aumentar a satisfação com o trabalho, melhorar o desempenho dos colaboradores, acelerar a produtividade e evitar demissões? Pois é a pura verdade. Basta analisar as empresas mais divertidas de se trabalhar nos Estados Unidos, entre elas a Disney, o museu Rock and Roll Hall of Fame de Ohio e a companhia aérea Southwest. E considere ainda a revelação bombástica da pesquisa feita com os reitores das escolas de Administração dos Estados Unidos e diversos executivos: o humor representa um papel importante na gestão de uma empresa de sucesso.

Reconheça o poder da diversão: Diversão, gargalhadas, bom humor – tudo isso é muito libertador. É quase impossível alguém se sentir sozinho ou excluído quando compartilha alguma coisa com os outros. A diversão é uma grande fonte de motivação por causa do prazer que ela proporciona. Portanto, quando a equipe estiver se sentindo "para baixo", estressada, cansada ou mal-humorada, uma risada pode fazer a diferença.

**"Tudo o que eu quero é me divertir.
Tenho a sensação de que não estou sozinha."**
SHERYL CROW, cantora

IGNORE A FALTA DE ENTUSIASMO

COMBATA A FALTA DE ENTUSIASMO

Seu trabalho gerencial impacta direta ou indiretamente na autoconfiança dos colaboradores, em seus desejos, interesses de longo prazo e sua paixão pela vida. É uma pressão muito grande para administrar.

Este livro está repleto de dicas e sugestões para ajudá-lo a influenciar positivamente sua equipe. Mas, sejamos sinceros, vivemos em tempos de crise.

Ainda que você dê apoio, motive e encoraje sua equipe, vai enfrentar circunstâncias que exercerão uma pressão negativa sobre o estado de espírito dos colaboradores.

Para construir e manter a esperança em meio a tantas influências desanimadoras é preciso combater a falta de motivação. Coloque toda sua energia no que você *pode* realizar e não se preocupe com as circunstâncias pouco estimulantes, pois isso só pioraria as coisas.

A concentração é um poderoso instrumento para combater o desânimo e confrontar a negatividade que afeta o ânimo das pessoas.

Lembre-se de que os fatores desmotivantes são muitos. Podem ser notícias, decisões polêmicas, frustrações, injustiças, grosserias e falta de reconhecimento, entre outras coisas. Descobrir a causa do baixo astral ajuda no contra-ataque à falta de motivação.

Existem três áreas específicas que você precisa conhecer para poder ensinar os colaboradores a lidarem melhor com situações frustrantes:

Selecione as pessoas certas: A prevenção é a melhor arma contra a desmotivação. Às vezes, os problemas podem estar nos colaboradores que você seleciona para trabalhar. Há os tipos desanimados e os negativos. O ideal é evitar contratar pessoas com problemas psicológicos ou comportamentais.

Mantenha os melhores profissionais: Perder os melhores talentos é, sem dúvida, um fator desmotivante. Para evitar isso, pergunte como sua equipe gostaria de receber feedback, seja honesto e detalhista em suas avaliações e elogie as coisas positivas. Isso fortalece o funcionário e aumenta sua confiança, mesmo quando se trata de um feedback corretivo. Dessa forma, você não terá surpresas e minimizará o desconforto causado pela desmotivação. Os gerentes que criam um ambiente honesto e reconhecem os acertos de seus colaboradores estimulam a cooperação e acabam alcançando maiores níveis de desempenho e produtividade.

Proteja a dignidade e a auto-estima dos colaboradores: O desrespeito é um dos fatores que podem acabar com a motivação de qualquer pessoa. Para criar um ambiente de respeito mútuo, evite fazer críticas em público; não aponte o dedo para ninguém – isso é desmoralizante e antiprofissional; nunca use um tom de voz condescendente, nem leve a crítica para o lado pessoal; concentre-se nos aspectos profissionais e nos resultados. Se você espera que todos o respeitem, comece respeitando os outros.

> **"Só há um modo de saber quão forte é a motivação dos colaboradores: pergunte às pessoas que trabalham na empresa. Se a resposta reunir muitos fatores desestimulantes, ponha tudo dentro de um saco e jogue fora!"**
>
> ANÔNIMO

FUNCIONÁRIOS NÃO PRECISAM DE ATENÇÃO

CONQUISTE A CONFIANÇA DOS COLABORADORES

Motivar os profissionais mais talentosos é a função mais importante de um gerente. Para saber se você está sendo bem-sucedido nessa tarefa, responda às seguintes perguntas: A cultura da empresa estimula as pessoas a irem trabalhar todos os dias? Você trata os membros da equipe com dignidade? Os cargos têm funções definidas?

Todas essas perguntas são importantes quando se trata de manter os melhores profissionais. Afinal, é mais do que natural que as pessoas queiram trabalhar num ambiente agradável e estimulante, que valorize o desenvolvimento pessoal e o respeito profissional. Todo mundo sabe que o processo de contratação é complicado, longo e cheio de incertezas. Minimizar esse processo significa diminuir a *rotatividade de pessoal*, o que traz economia e aumento de produtividade para a empresa.

Quando você contrata e investe em pessoas, está criando um ativo valioso para a empresa. A questão é como mantê-las cada vez mais motivadas. Pesquisas mostram que o item mais valorizado por um colaborador não é o salário, o cargo ou a bonificação que ele recebe por alguma conquista especial – o que realmente faz toda a diferença, e aí, sim, sua influência é total, é a qualidade do ambiente de trabalho.

Ele quer se sentir bem, querido, acolhido e, acima de tudo, respeitado tanto no lado profissional quanto no pessoal. Só assim os melhores talentos do mercado vão querer ser contratados e preservar seu emprego. Não existe maior orgulho para um gerente do que dizer: "Todo mundo quer trabalhar aqui."

Veja algumas sugestões e idéias para motivar e manter os melhores profissionais em sua equipe:

Saiba o que mantém os melhores talentos: Um ambiente agradável, no qual os colaboradores se sintam bem, e uma cultura que os estimule a trabalhar com boa vontade. Essa é a meta de qualquer empresa. O Google, um dos sites de busca mais usados da internet, oferece regras superflexíveis para o dia-a-dia no trabalho, o que permite que cada um faça o que quiser: há quem faça uma parada no meio da manhã para treinar arremessos na quadra de basquete enquanto o colega da mesa ao lado faz questão de ter a companhia de seu cachorro, mas há ainda outras benesses, como refeições gratuitas no restaurante da empresa. O resultado? Uma equipe dedicada, que enfrenta sem reclamar as longas e pesadas jornadas de até 20 horas de trabalho. Por que eles fazem isso? A razão é simples: porque eles amam seus empregos.

Entenda as razões que motivam os colaboradores a ficar: Não é uma questão de dinheiro. Os melhores profissionais querem trabalhar em um ambiente agradável, que estimule o desenvolvimento pessoal e no qual se sintam respeitados e valorizados. Um bom salário e bonificações são, claro, itens importantes, mas nesse caso ficam em segundo plano.

Deixe valores e atitudes serem o seu guia: Não é simplesmente a experiência que conta. Para empresas como Nordstrom, Nucor Steel e JetBlue, o que as pessoas sabem é menos importante do que o que elas são. No processo de seleção dessas empresas, o critério é escolher o profissional que a empresa *quer* ter. Seu objetivo é formular uma cultura corporativa que leve as pessoas com a postura, os valores e as atitudes "certas" a quererem construir uma carreira de sucesso.

"O trabalho de recrutamento é permanente, mesmo que sua equipe já esteja montada."

MIKE ABRASHOFF, fundador da Grassroots Leadership, de Boston

EQUIPES NÃO SÃO MOVIDAS PELA EMOÇÃO

COLOQUE O CORAÇÃO E A ALMA EM SUA EQUIPE

Na sociedade globalizada em que vivemos, a tendência é manter o foco em temas como gestão de negócios, finanças, estratégia de marketing, produção, serviços e atendimento ao consumidor. Isto mostra que muitos esquecem que, em sua essência, as organizações são feitas de pessoas e relacionamentos.

São essas relações interpessoais que permitem a transformação de metas individuais em coletivas. E isso só acontece porque existem gerentes preocupados com quem está a seu redor. Há um ditado que diz: "As pessoas não se importam com o quanto você sabe, desde que elas percebam o quanto você se preocupa." Os seja: quanto mais você se interessa pelos colaboradores, mais você cria um ambiente em que eles se preocupam com você e uns com os outros. Isto aumenta a motivação, o desempenho e a vontade de melhorar cada vez mais.

Se você realmente se importa com sua equipe, e demonstra isso, saiba que está atendendo à sua necessidade básica de atenção – além de motivá-la com o coração e a alma. O resultado prático dessa demonstração de afeto é um aumento exponencial nos índices de desempenho da equipe. Resumindo: motivação é tudo.

Inspire o trabalho em equipe: As duas formas de motivação mais poderosas que existem para enfrentar um trabalho desafiador são: criar um diferencial e trabalhar em equipe para atingir um objetivo. Coloque os dois fatores em prática e você terá um time de alta performance. Incorpore à sua rotina diária o hábito de elogiar e reconhecer publicamente as contribuições feitas pelos colaboradores. E seja um líder que funcione como um facilitador do trabalho em equipe.

Lidere com o coração: A palavra "encorajamento" tem origem na palavra latina *cor*, que significa "coração". Quando você encoraja os colaboradores, está liderando com o sentimento. Quando Barbara Walters entrevistou o general Norman Schwarzkopf, herói da primeira Guerra do Golfo, ela perguntou como ele gostaria de ser lembrado. A resposta foi pura emoção: "Quero ser lembrado como alguém que amou sua família, seus soldados e que foi amado por ambos." A liderança motivadora é afetiva. A resposta da equipe diante desse comportamento é natural e positiva.

Estimule o espírito de equipe: Os melhores gerentes sabem que o espírito de equipe é um poderoso fator de união. Transformar um grupo em uma equipe exige um congraçamento e um senso comum de interesse e direcionamento. Não esqueça que é o seu trabalho gerencial que dá o tom e que suas ações e atitudes afetam diretamente o ambiente de trabalho. A seguir estão algumas sugestões para encorajar o espírito do grupo:

- Apresente à equipe metas e objetivos definidos.
- Deixe que as pessoas criem suas próprias regras.
- Encoraje a diversão e o senso de humor no trabalho.

- Dê autonomia aos seus colaboradores para que eles tomem decisões.
- Cumpra o que você prometeu.
- Deixe a equipe encontrar as soluções para os problemas. Não intervenha.
- Permita que os colaboradores administrem o próprio orçamento.
- Alto astral x baixo astral: algumas fases do projeto podem transcorrer mais calmamente do que outras.
- Deixe a equipe escolher o sistema de recompensas e incentivos.

"Ficar junto é um começo, manter-se junto é um progresso, trabalhar junto é um sucesso."

HENRY FORD

O POTENCIAL HUMANO NÃO É PROBLEMA SEU

LIBERE O PODER DO POTENCIAL HUMANO

Você sabia que a capacidade de seu cérebro é praticamente ilimitada? Em termos de complexidade e poder, o cérebro supera até mesmo as tecnologias mais modernas. Sua capacidade de processamento é de mais de 30 bilhões de bits de informação por segundo. O combustível que alimenta seu cérebro é bastante simples: oxigênio e glicose. O resultado dessa combinação é energia pura. Sem isso, não há sinergia em sua empresa.

Quando as pessoas se sentem cansadas ou abatidas, não fazem nem a décima parte do que são capazes. Para aumentar a energia – e o desempenho – dos colaboradores, é preciso incentivá-los a buscar o melhor quando estiverem trabalhando em equipe. Isto é o que a sinergia realmente representa – trabalhar em equipe. É o tipo de conceito simples e natural que vem sendo adotado no mundo corporativo.

Os especialistas em gestão têm chamado atenção para as técnicas conhecidas como "trabalho dinâmico" e "capital intelectual". Elas oferecem as qualidades sinérgicas que todos buscam e, claro, muitos benefícios para quem aposta no trabalho em equipe.

Este livro mostra diversas formas de extrair o máximo de

tudo e de todos que estão ao seu redor. Algumas sugestões e dicas foram planejadas para fazê-lo pensar – sobre o potencial latente que existe dentro de cada um de nós e também sobre o poder que envolve a inteligência, a criatividade, a curiosidade e a energia.

Como gerente e líder, você sabe que, à medida que a sinergia for crescendo, construindo e motivando as pessoas ao longo do tempo, os resultados recompensarão seus esforços. Nas palavras do poeta norte-americano Ralph Waldo Emerson, "dê o máximo de si, pois tudo está dentro de você".

Conheça algumas maneiras de liberar o potencial que existe dentro de cada um de nós:

Treine-os: Segundo o ditado popular, "conhecimento é poder". Não é verdade. O que gera poder é o modo *como* ele é usado. Então, qual é o tipo de treinamento que você oferece para que a equipe adquira novos conhecimentos e os utilize efetivamente? O aprendizado ajuda a melhorar as habilidades e os níveis de desempenho dos membros da equipe e, indiretamente, mostra que você se preocupa com eles.

Lidere-os: Uma vez que o investimento no aprendizado e desenvolvimento dos colaboradores tenha sido feito, é hora de começar um programa de treinamento. Você, em geral, se preocupa muito com a manutenção de seu computador e de outros equipamentos, mas esquece que a equipe também precisa de "manutenção". O que mantém em alta a motivação no ambiente de trabalho é, sem dúvida, a figura do gerente-*coach* – alguém que usa a própria experiência para estimular, compreender e inspirar o outro a dar o melhor de si.

Ame-os: O título da música de Tina Turner faz uma pergunta muito interessante: "O que o amor tem a ver com isso?" A resposta é: tudo. Transportando esse conceito para o mundo corporativo, pode-se dizer que para ser um gerente de sucesso é preciso *amar* as pessoas com quem se trabalha – e demonstrar isso encorajando uma atmosfera afetiva no trabalho, que se traduz em pequenos cuidados e disponibilidade para ajudar as pessoas sempre que necessitem. Construir um ambiente de trabalho movido a amor e consideração é a essência de uma equipe motivada.

"O trabalho pode ser uma oportunidade para o crescimento pessoal, espiritual e financeiro. Se não for, então é uma grande perda de tempo."

JAMES A. AUTRY, consultor e escritor

"Qual é a importância da motivação? Ela faz toda a diferença. Você pode ser o gerente com mais conhecimento, experiência, talento e capacidade do mundo, mas se os colaboradores estiverem desmotivados, a mediocridade reinará em sua empresa."

"Se você eliminar os obstáculos que atrapalham as pessoas responsáveis pelo sucesso ou pelo fracasso de um projeto, criará um ambiente que estimula naturalmente a motivação e o espírito de equipe."

Conheça outros títulos da Coleção Desenvolvimento Profissional

Aprendendo a lidar com pessoas difíceis

DR. RICK BRINKMAN E DR. RICK KIRSCHNER

Pessoas difíceis são um desafio. Na melhor das hipóteses, elas tornam a vida mais estressante e desagradável. Na pior, elas chegam a interferir em projetos pessoais e impedem a conquista de metas profissionais importantes.

Aprendendo a lidar com pessoas difíceis ensina a extrair o melhor desses tipos problemáticos, mesmo quando eles exibem o pior de si mesmos. Com a ajuda de técnicas eficazes e uma abordagem criativa, os autores ensinam o caminho das pedras – o aprendizado da convivência em grupo, independente das diferenças – e os atalhos para impedir que as pessoas que lhe incomodam enfraqueçam seu desempenho no trabalho e na vida pessoal.

Como ser um vendedor de sucesso

LINDA RICHARDSON

Vender nunca foi tão difícil. Nestes tempos de internet, em que todas as informações estão disponíveis, o que os clientes querem é saber o que o produto pode fazer por eles. *Como ser um vendedor de sucesso* lhe mostrará que o importante não é tanto o que você diz para os clientes, mas como escuta o que eles têm a dizer.

A autora apresenta um programa de seis passos, testado na prática, que ensina a escutar os clientes e a descobrir exatamente quais são as suas necessidades. Com isso, você aprende como agregar valor, apresentar novos enfoques e mostrar aos clientes como o seu produto ou serviço atende, com rapidez e regularidade, a necessidades específicas.

O manual do novo gerente

MOREY STETTNER

Você foi promovido a gerente. Isto o coloca numa posição totalmente diferente. De colaboradores difíceis de lidar a chefes exigentes, você nunca sabe de onde surgirá o seu próximo problema. O que você sabe é que todos esperam que você o resolva – e de maneira rápida e eficiente.

O manual do novo gerente fornece valiosas sugestões e dicas para que você se integre à sua equipe enquanto a estimula a conquistar performances e resultados surpreendentes. Como um gerente novato no competitivo ambiente de trabalho dos dias de hoje, você enfrentará desafios e testes diariamente. Ao contrário de sua posição anterior, você será avaliado pelo desempenho dos outros. Dê a si mesmo a oportunidade de ser bem-sucedido e aprenda como conquistar o respeito tanto de seus colaboradores quanto de seus supervisores.

Conheça outros importantes títulos da Editora Sextante

O monge e o executivo

JAMES C. HUNTER

John Daily é um executivo bem-sucedido que, de repente, percebe que vem fracassando como chefe, marido e pai. Em busca de um novo caminho para sua vida, ele decide participar por uma semana de um retiro num mosteiro beneditino.

Lá encontra Leonard Hoffman, um dos mais influentes e bem-sucedidos empresários americanos, que resolveu largar tudo para ir em busca da verdadeira essência da vida. Nesse livro extremamente envolvente, você vai aprender, junto com John Daily, princípios de liderança fundamentais para construir uma carreira de sucesso e uma vida em plena harmonia com as pessoas à sua volta.

Como se tornar um líder servidor

JAMES C. HUNTER

Liderar não é ser "chefe". Liderar é servir. Embora "servir" possa ter uma conotação de fraqueza para alguns, a liderança de serviço é na verdade uma idéia vigorosa e revolucionária, que pode ter um impacto significativo no desempenho de uma organização.

James Hunter propõe esse método de liderança que transforma chefes e gerentes em treinadores e mentores. Os líderes servidores sabem que prover as pessoas e empenhar corações e mentes promove uma força de trabalho que compreende os benefícios de se esforçar pelo bem maior.

Preciso saber se estou indo bem!

RICHARD L. WILLIAMS

Imagine como seria se você passasse a ser totalmente ignorado em casa ou no trabalho – sem orientações, elogios ou críticas pelas coisas que faz. Esse livro ilustra a importância do feedback através de uma história simples, baseada em pessoas reais que o autor conheceu ao longo de sua carreira como professor e consultor.

Escrito de maneira dinâmica e repleto de estratégias, ele apresenta os quatro tipos de feedback – positivo, corretivo, ofensivo e insignificante –, ensinando quando usar os dois primeiros e como evitar os outros, para ajudar você a conquistar mais qualidade em suas relações, estimulando a iniciativa, a responsabilidade e a lealdade entre as pessoas à sua volta.

Você é mais capaz do que pensa

JOHN G. MILLER

Com quase 20 anos de experiência na área de treinamento, John G. Miller desenvolveu um método fantástico para virar pelo avesso essa maneira de pensar: devemos fazer perguntas melhores para fazer escolhas melhores.

Em vez de começar as perguntas com Por que, Quando e Quem, precisamos voltar a atenção para as nossas capacidades individuais e perguntar: "Em que eu posso contribuir?" e "Como eu consigo fazer alguma diferença?". Lançando mão de histórias leves e capítulos curtos, o autor mostra como nos tornar mais eficientes e bem-sucedidos ao aplicar a noção da responsabilidade pessoal no nosso dia-a-dia.

A Boa Sorte

ÁLEX ROVIRA E FERNANDO TRÍAS DE BES

Se você sempre acreditou que a sorte é uma questão de acaso, esse livro vai fazer você rever este conceito e trará uma grande transformação em sua vida.

Nessa fábula de linguagem cativante e inspiradora há uma lição simples mas profundamente significativa: a sorte nada tem a ver com um acontecimento fortuito – cabe a nós criarmos as condições para que ela aconteça em nossa vida.

A hora da verdade

JAN CARLZON

Lançado originalmente nos anos 1980, *A hora da verdade* é um clássico e um dos mais importantes livros de negócios de todos os tempos. Ele apresenta o relato da extraordinária experiência de Jan Carlzon, que criou um modelo inédito de administração, mudando os rumos da gestão empresarial e revolucionando o conceito de liderança.

Com seu estilo acessível, Carlzon apresenta em detalhes sua ousada abordagem para prosperar numa economia voltada para os clientes: como definir uma estratégia, como estruturar uma organização para priorizar as necessidades dos clientes, como motivar e se comunicar com a equipe da linha de frente.

Seu balde está cheio?

TOM RATH E DONALD O. CLIFTON

Todos nós possuímos um balde invisível que se enche ou esvazia o tempo inteiro, dependendo do que os outros nos dizem ou fazem. Quando o nosso balde está cheio, nos sentimos ótimos. Quando está vazio, ficamos péssimos.

Com essa simples metáfora e o conhecimento adquirido em 50 anos de pesquisas sobre o poder transformador das atitudes positivas, esse livro mostra que a maneira como tratamos os outros tem influência direta em nossa felicidade, produtividade, saúde e longevidade.

Seis fundamentos do sucesso profissional

STUART R. LEVINE

Agregar valor à empresa, agir com honestidade, investir nas relações, comunicar-se bem, saber apresentar resultados e ampliar a sua perspectiva de vida são os seis mandamentos básicos para quem quer brilhar profissionalmente.

Com a experiência de quem trabalha há 30 anos com executivos de altíssimo nível, o consultor Stuart R. Levine faz o papel do supervisor ou gerente que todos gostariam de ter, apresentando as práticas, os princípios e as posturas que você deve adotar para fazer com que sua contribuição à empresa e o valor que as pessoas vêem em seu trabalho ganhem outra dimensão.

Informações sobre os próximos lançamentos

Para receber informações sobre os lançamentos da Editora Sextante, basta enviar um e-mail para atendimento@esextante.com.br ou cadastrar-se diretamente no site www.sextante.com.br

Para saber mais sobre nossos títulos e autores, e enviar seus comentários sobre este livro, visite o nosso site: www.sextante.com.br

Editora Sextante
Rua Voluntários da Pátria, 45 – Gr. 1.404 – Botafogo
22270-000 – Rio de Janeiro – RJ
Tel.: (21) 2286-9944 – Fax: (21) 2286-9244
E-mail: atendimento@esextante.com.br
www.sextante.com.br